舞伎家的料理人

1

小山愛子 著
丁世佳 譯

目　錄

第 1 話 京都的可愛廚房

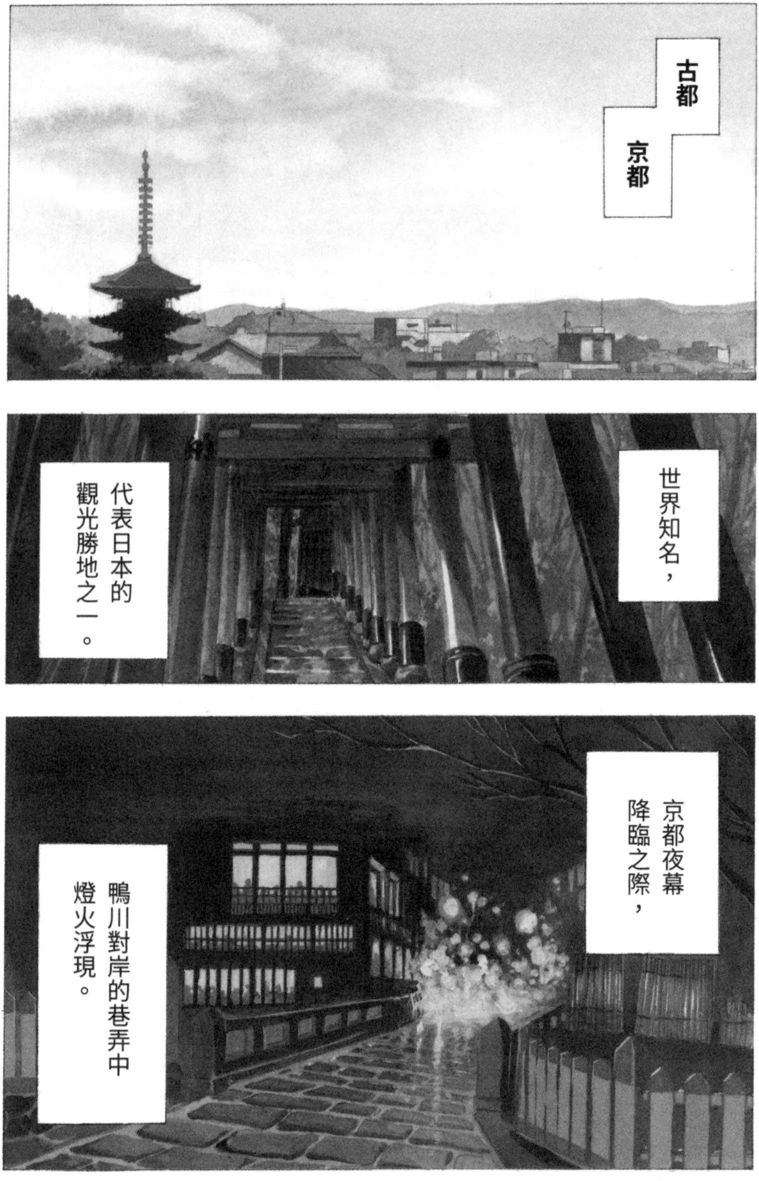
古都
京都
世界知名，
代表日本的觀光勝地之一。
京都夜幕降臨之際，
鴨川對岸的巷弄中燈火浮現。

花街

第1話 ✿ 京都的可愛廚房

べれん
はあ

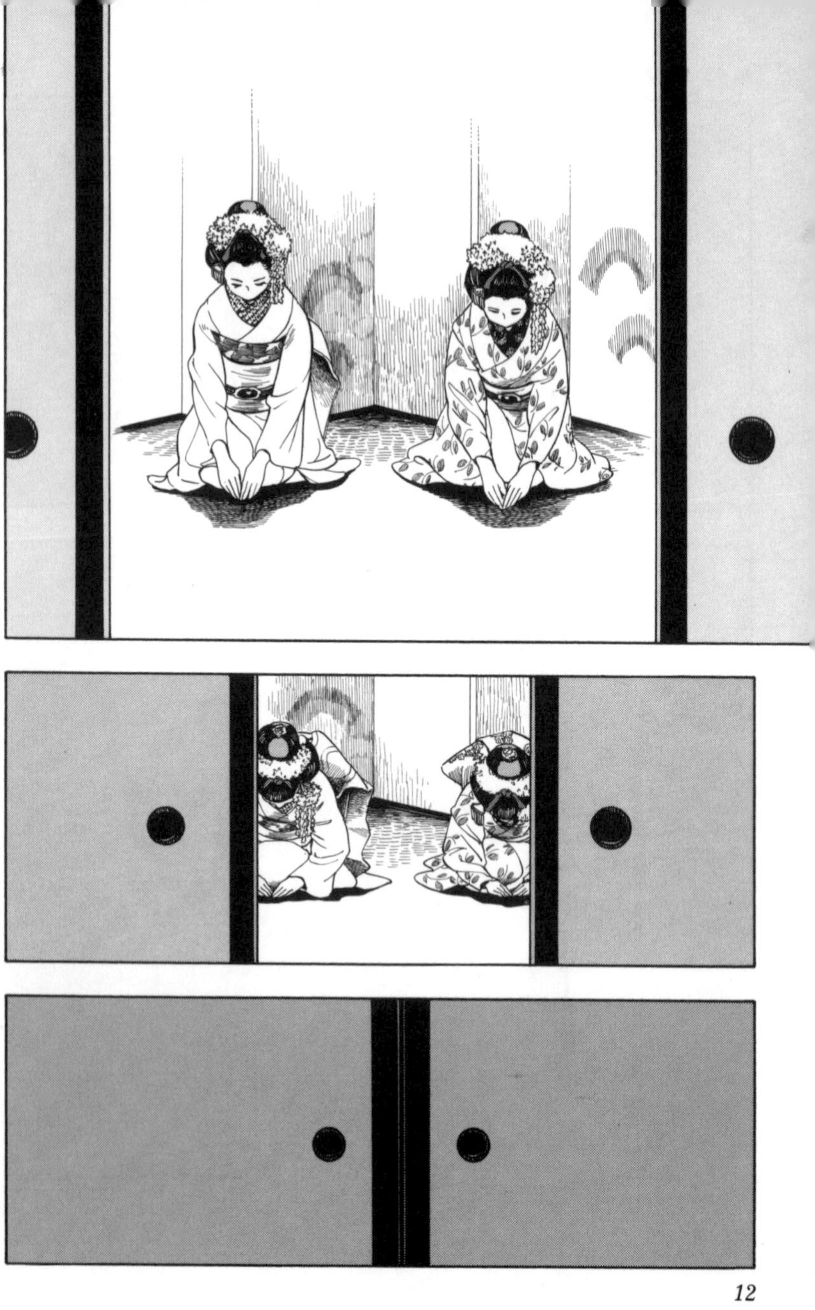

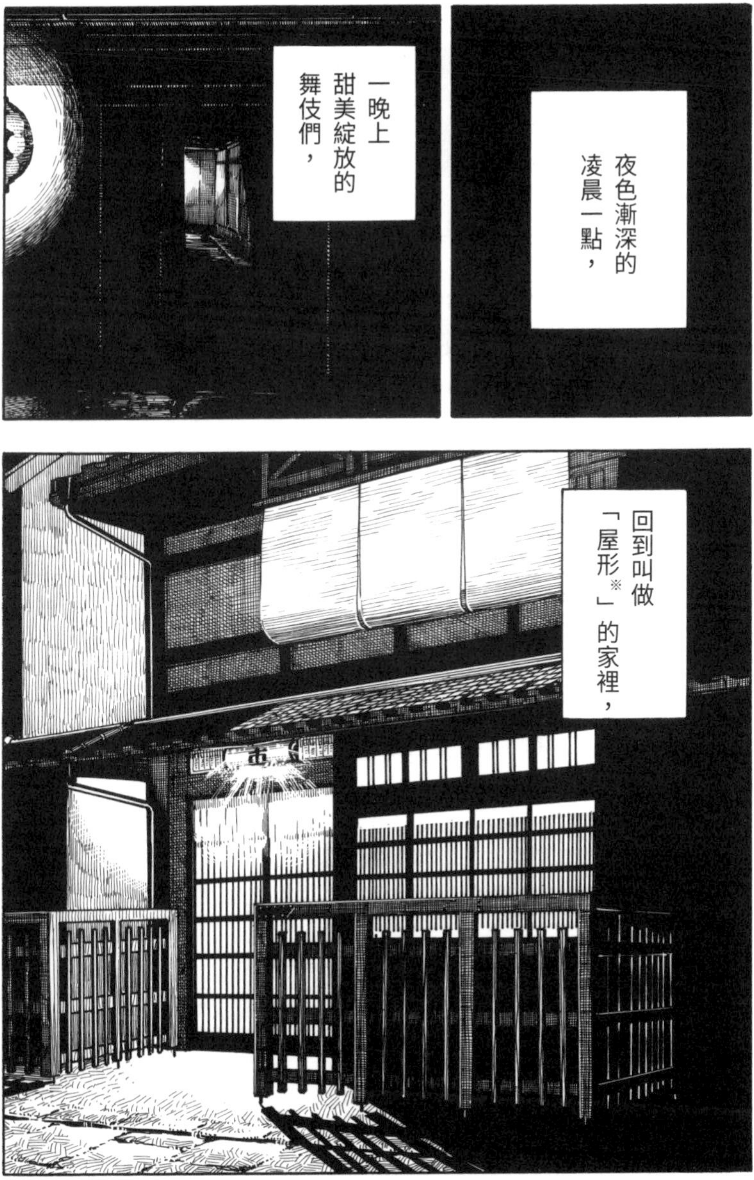
夜色漸深的
凌晨一點，
一晚上
甜美綻放的
舞伎們，
回到叫做
「屋形※」的家裡，

※舞伎與預備學徒的生活場所，有時與「置屋」通用。

變回普通的女孩子。
誰吃了人家的布丁?!

是阿姐嗎？
我不知道耶～
我也不知道!!
那麼是姐姐妳?!
怎麼看我也沒辦法吃吧。
Cosme
隔壁房間和裡面的房間，大家都說不知道。
就只剩這裡了!!
我們不知道就是不知道啊。
人家……人家……

早上練習的時候，
晚上表演的時候，
都想著家裡有布丁，
才努力撐過來的!!
真是
誇張啊～
那個，不是便利
商店有賣嗎～
還是便宜的
頂著這髮型
不能去便利商店，
妳不知道嗎？
人家還要四天
才能解開頭髮。
哎唷！好嚇人～
那個那個，
既然如此，
我現在就去買!!
不行。
門禁時間
已經過了。
雖然是妹妹，也不能
放縱妳們為所欲為。
本來
家裡沒寫名字
的東西，
就是大家的，
不是嗎？
阿姐……
晃動
呃。

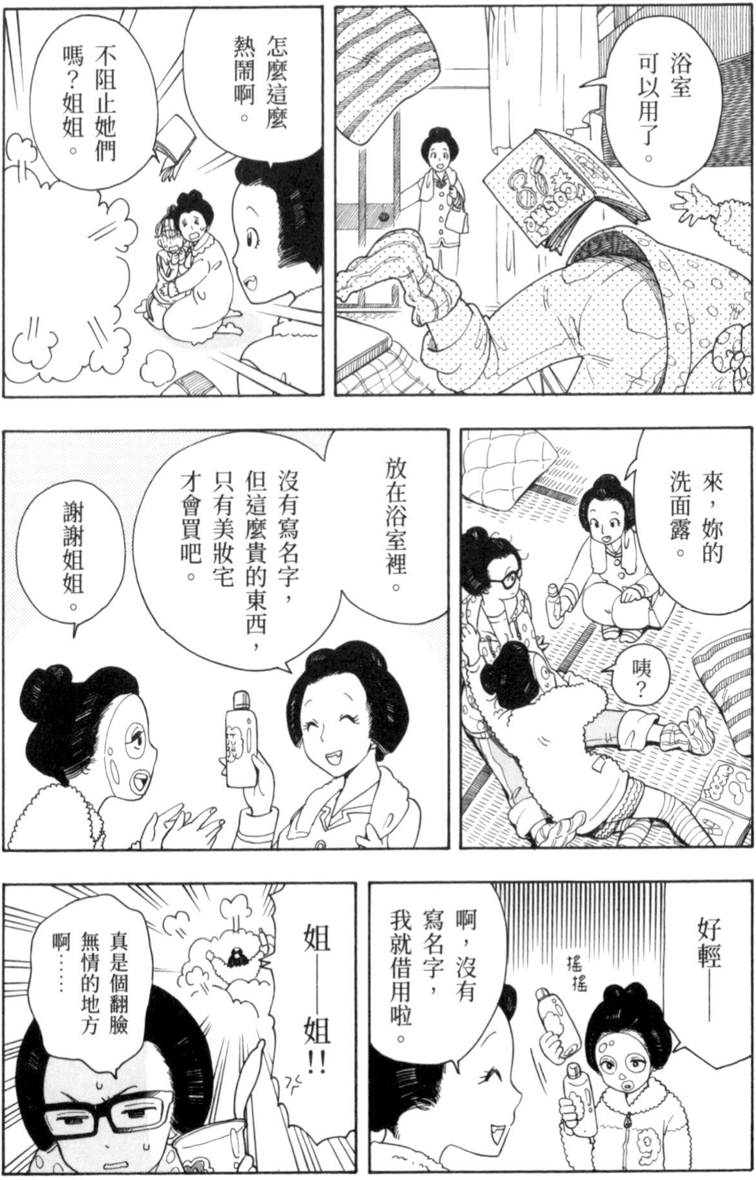
浴室可以用了。
怎麼這麼熱鬧啊。
不阻止她們嗎？姐姐。
來，妳的洗面露。
咦？
放在浴室裡。
沒有寫名字，但這麼貴的東西，只有美妝宅才會買吧。
謝謝姐姐。
好輕——
搖搖
啊，沒有寫名字，我就借用啦。
姐——姐!!
真是個翻臉無情的地方啊……

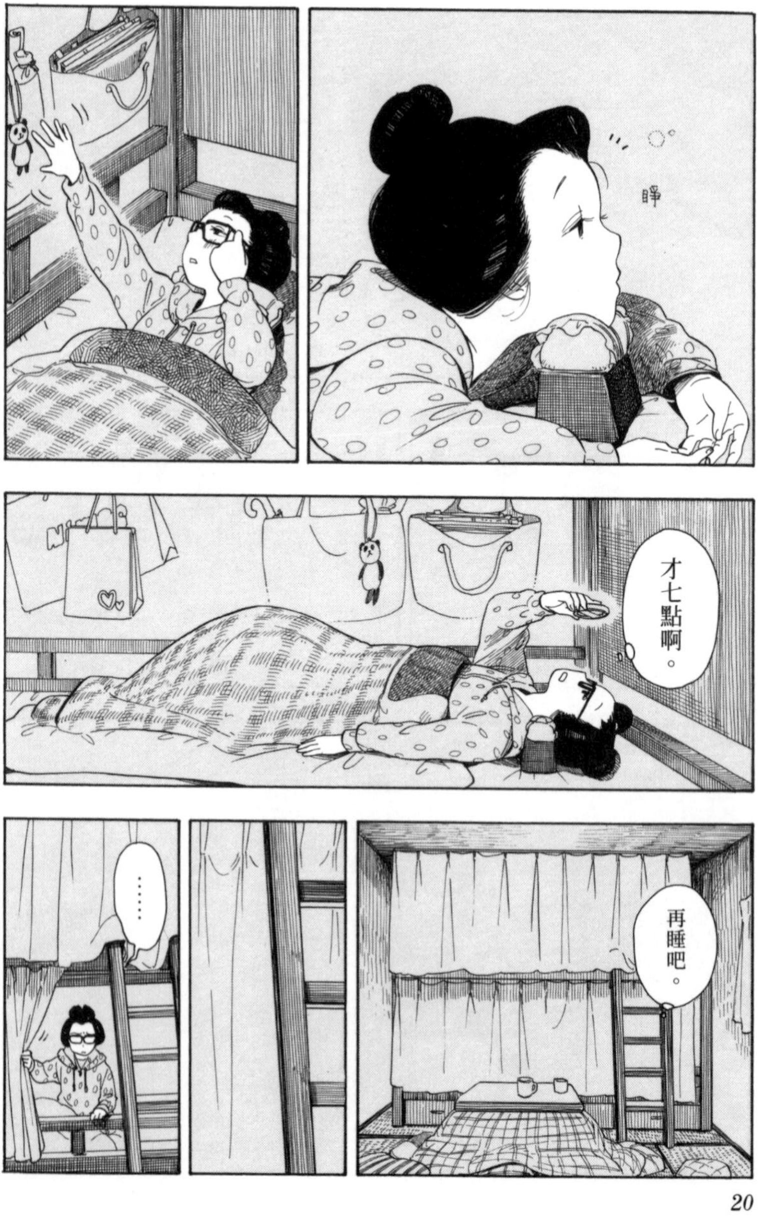
睜
才七點啊。
再睡吧。
……

媽媽她們
也還在睡。

※京都愛宕神社古名「阿多古神社」，是自古以來深受敬仰的防火、火伏神社。火伏札上書之原文為「火迺要慎」，當心用火之意。

LED ITALIAN T

清依。
啊，起得真早。
嗯——
不知怎地就醒了。
可以坐這裡嗎？
嗯，請便。

咕嘟
咕嘟
咕嘟
咕嘟
清依，今天早餐吃什麼？
烤鮭魚。
還有呢？
涼拌菜和味噌湯。
還有呢？
蛋捲。

人家今天早上沒有食慾，吃麵包就好。
不行。麵包只剩一片。
要是一個人吃，其他人也會想吃的。
這裡果然是個無情的地方。
啊～昨天的布丁嗎？
在樓上打起來了呢～
既然知道就不要問了。
無情，無情。
這裡屋裡屋外，都沒有人家可以休息的地方。

知道了。早餐就讓妳吃麵包吧。
咦！
但是就在廚房吃。
不能跟別人說。
知道嗎？
嗯!!
嗯!!
點頭
點頭
來了。

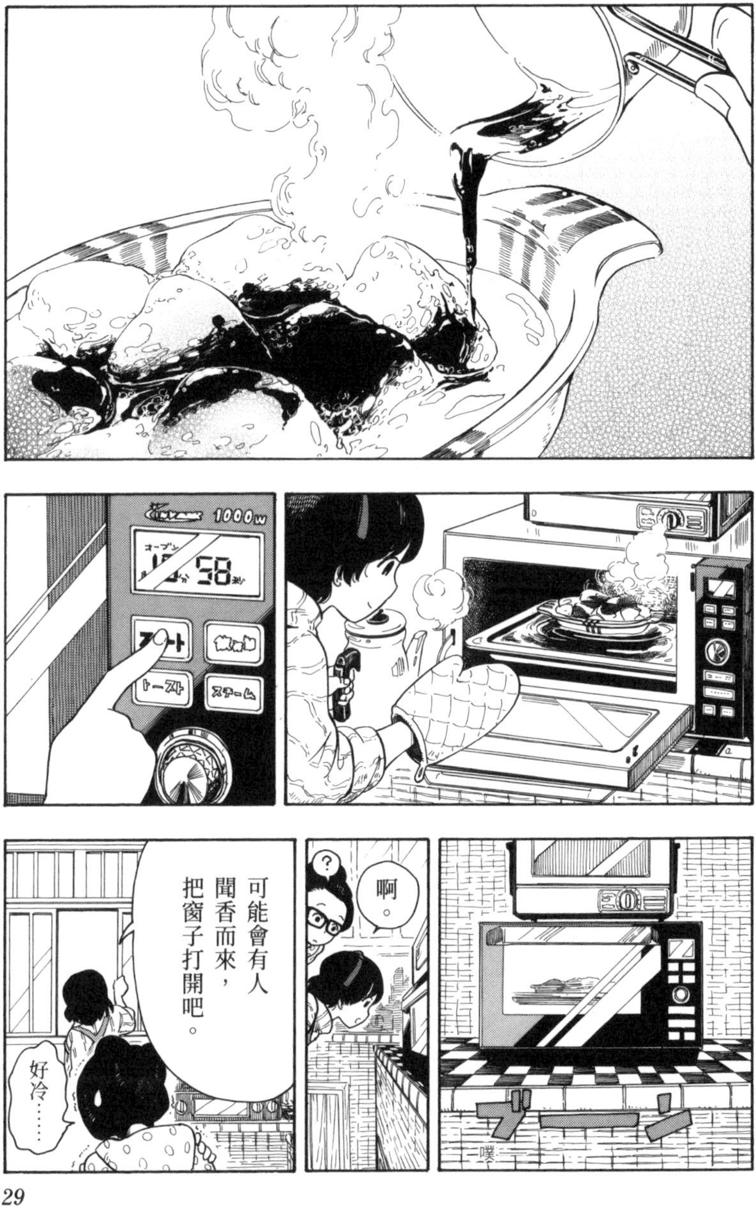
1000w
オーブン
スタート
トースト
スチーム
噗
?
啊。
可能會有人聞香而來，把窗子打開吧。
好冷……

麵包布丁
（剛出爐的
烤布丁）
久等了。
我……開動了。

清依……
嗯？
這個麵包，吃起來像布丁!!
今天絕對是個好日子。
雖然沒怎麼睡
我叫清依。
十六歲。

市
因緣際會，
在這個屋形裡
當料理人。
ザ
唰
清依，
大家要
出門了。
媽媽。
我現在
就去。

好了，媽媽，
我們走了。
大家都要加油。

多謝。
多謝。
讓大家今晚也能精神百倍地
扮演「舞伎」的角色。
這就是我的工作。

小山家的
私房料理
其1

麵包布丁

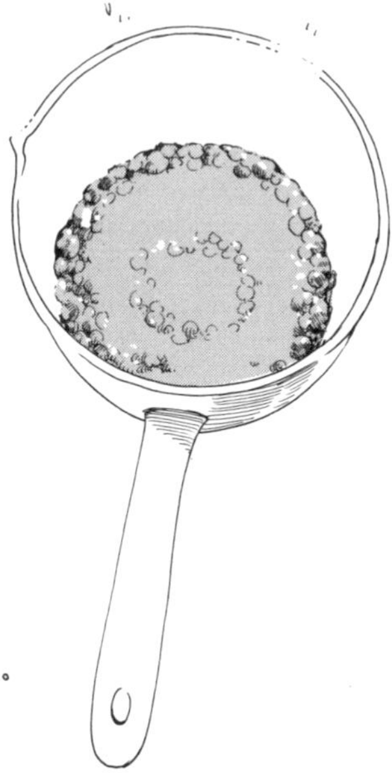

① 麵包切塊浸泡。
雞蛋＋牛奶＋砂糖
＋香草精

② 製作焦糖醬。
砂糖＋水
煮至喜歡的顏色。

③ 將②澆在①上，
直接在瓦斯爐上燒。

焦糖熱牛奶

做麵包布丁
最麻煩的就是
焦糖醬。

只有努力做了的人
才能喝到的熱牛奶。

其實沒什麼。
在製作焦糖醬的鍋裡
倒牛奶加熱，
鍋裡剩下的焦糖
就會融化。
很好喝。

鍋裡凝固的
焦糖也
清乾淨了!!

舞伎家的料理人

(Maikosan chi no Makanai san)

第2話 ✿ 料理人十六歳

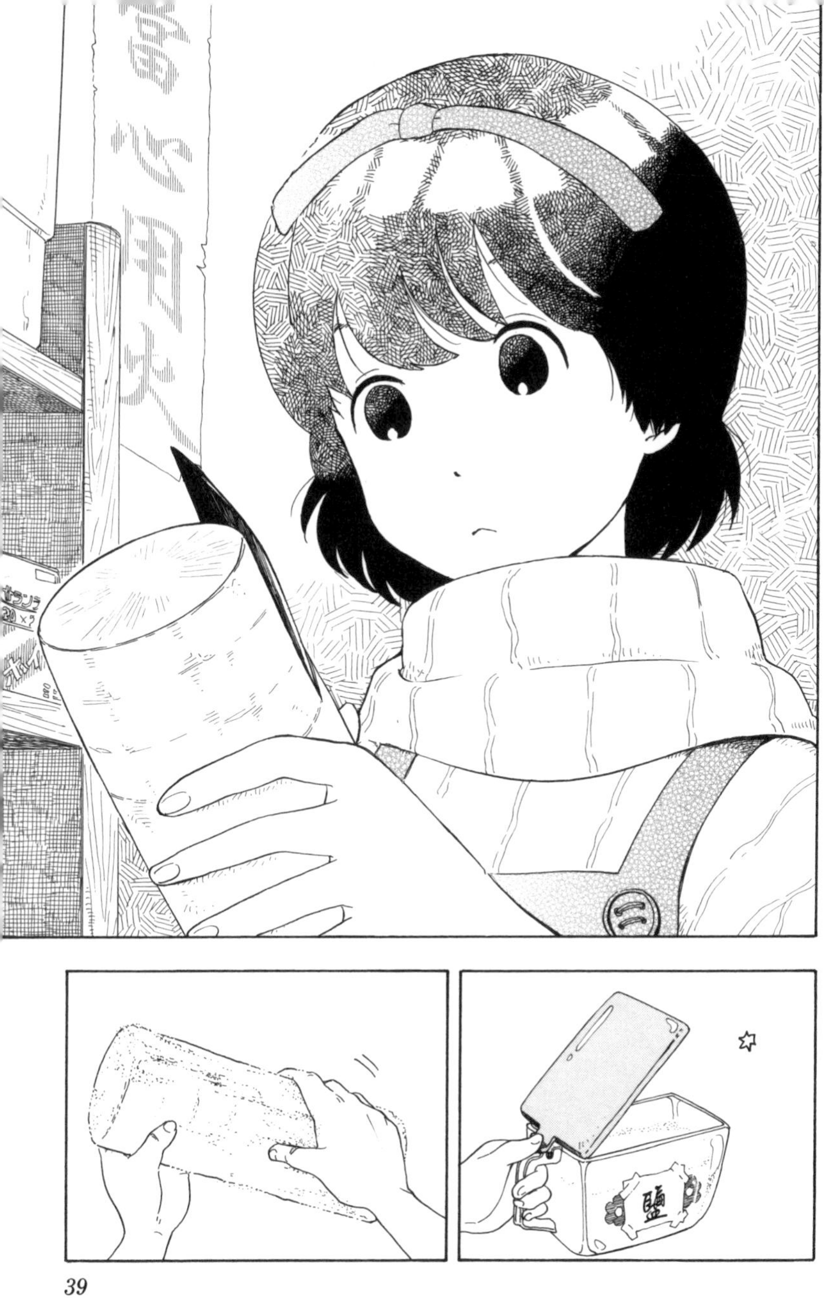
鹽

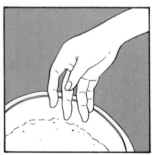

揉捏
揉捏
揉捏
揉捏
揉捏
喔喔喔！
不由得入迷了!!
幹得好，米糠醬！讓我無法自拔！
不對不對，清依小姐犀利的手法讓我好舒服……

久等了，你是今天的材料！
謝謝清依小姐，米糠醬好開心！
清依，還好嗎？
啊，媽媽。
我要去一趟美容院。
中午之前會回來。
好的。
我做好午飯，
等您回來！

美容室
早安。
啊，市家的媽媽。
承蒙惠顧。
請坐這邊。
嗯。
哎唷，
這不是市家的媽媽嗎。

姐姐，真是久疏問候。
沒事，坐下，坐下。
所以，最近如何？
妳的屋形。
半年前我們遇見時，
妳說廚娘病倒了不是嗎？
那個時候，妳瘦得都見骨了。憔悴得很。
姐姐總是如此掛心。
那段日子，
確實很辛苦。

每天大家都吃外賣的便當什麼的，
一開始覺得很有意思，
但每天吃那些，
大家的氣色愈來愈差……
現在回想起來，胃都開始難受了……
難受難受
妳還不到三十歲，說什麼呢。
但是太好了。
現在氣色很好，
找到新的歐巴桑了吧？

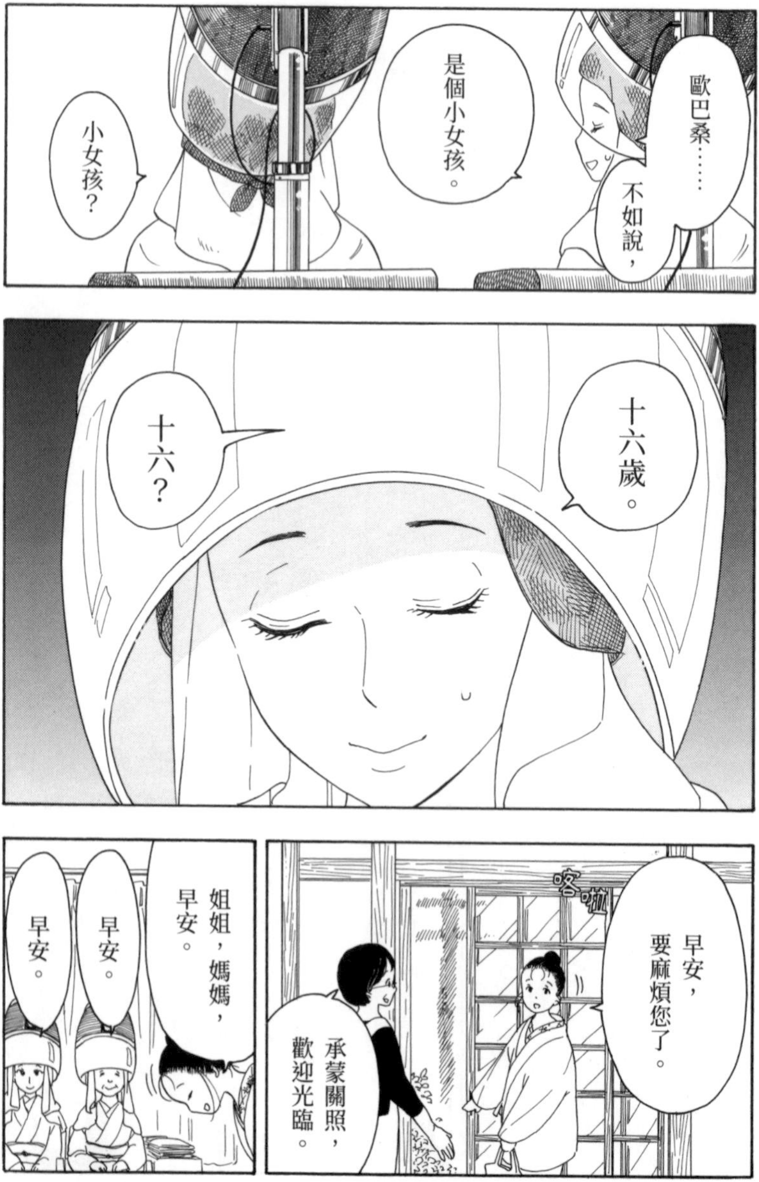
歐巴桑……
不如說，
是個小女孩。
小女孩？
十六歲。
十六？
早安，要麻煩您了。
喀啦
承蒙關照，歡迎光臨。
姐姐，媽媽，早安。
早安。
早安。

十六歲，
既然不當舞伎，
那做什麼都可以的。
其實……
她原來是
想當舞伎，
才來京都的……
該怎麼說呢，
就是不適合。
哎。
那就
沒辦法啦。
本來打算
要回鄉下，

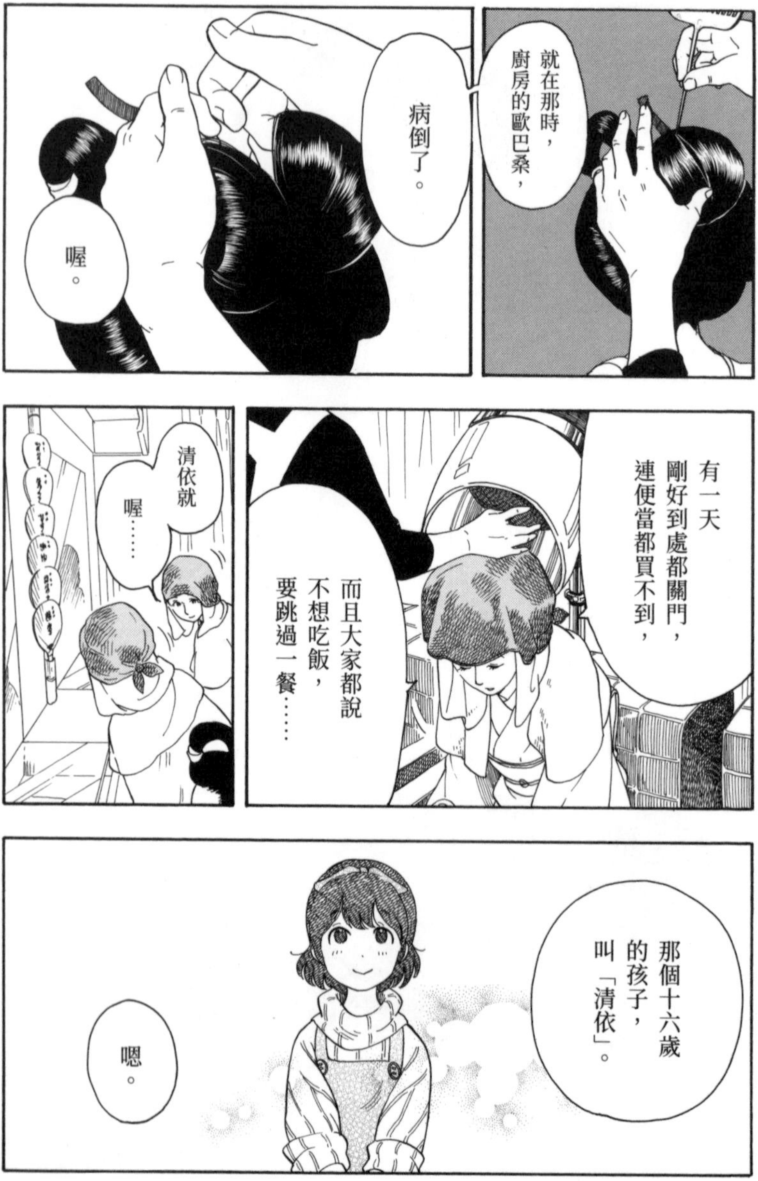
就在那時，廚房的歐巴桑，
病倒了。
喔。
有一天剛好到處都關門，連便當都買不到，
而且大家都說不想吃飯，要跳過一餐……
清依就
喔……
那個十六歲的孩子，叫「清依」。
嗯。

非常俐落地
用現成的食材，
做飯給大家吃。
親子丼。
親子丼
（把冰箱裡的雞肉和雞蛋
全部用光了。）

喔。
那可不是比外賣好吃太多了。
不，味道普通。
既不是我們的口味，
也沒有放什麼特別的料……
就是普通的親子丼。
但是，那個時候大家都鬆了一口氣。

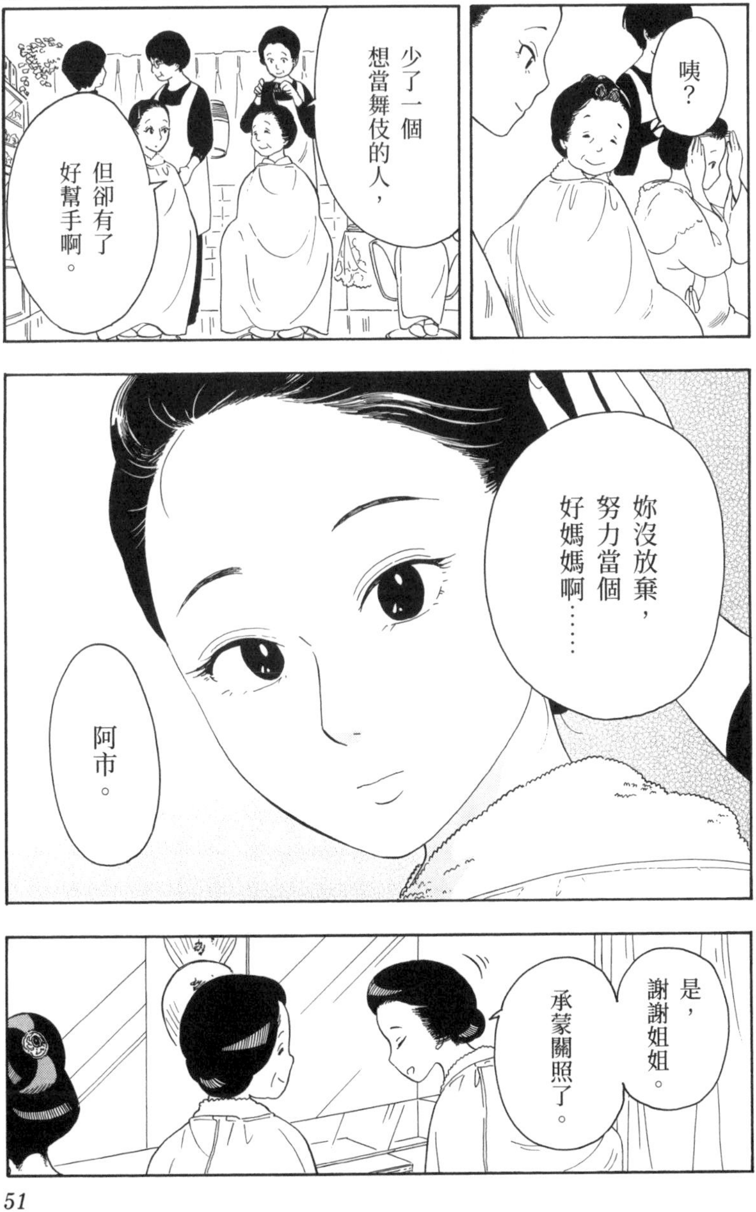
咦？
少了一個想當舞伎的人，
但卻有了好幫手啊。
妳沒放棄，努力當個好媽媽啊……
阿市。
是，謝謝姐姐。
承蒙關照了。

我回來了。
歡迎回來！
媽媽，
午飯做好了！
中午吃什麼？
親子丼。
喔。
我去洗個手。
叫大家來吃吧。
好～

小山家的私房料理 其2

親子丼

個人喜歡
蛋黃和蛋白
稍微攪拌一下就好。

也喜歡
撒海苔
和七味粉。

舞伎家的料理人

(Maikosan chi no Makanai san)

第3話

清依的一天

もももも
ももももも
叮鈴鈴……
叮鈴鈴……
叮鈴鈴……
もも
叮叮
嗯。
呼嚕
呼嚕
呼

荷包蛋
（單面煎・雙面煎
半熟・煎硬全熟）
清依，早安——
早。
怎麼啦？沒睡好嗎？
妳聽我說，姐姐會磨牙，好煩啊！
嗯，嗯。

8：00
我開動了。
我開動了。
清依，還有醃菜嗎？
有喔。
順便拿一下醬汁吧。
好的。
我們去練習了。
加油喔。
好的。
10：00

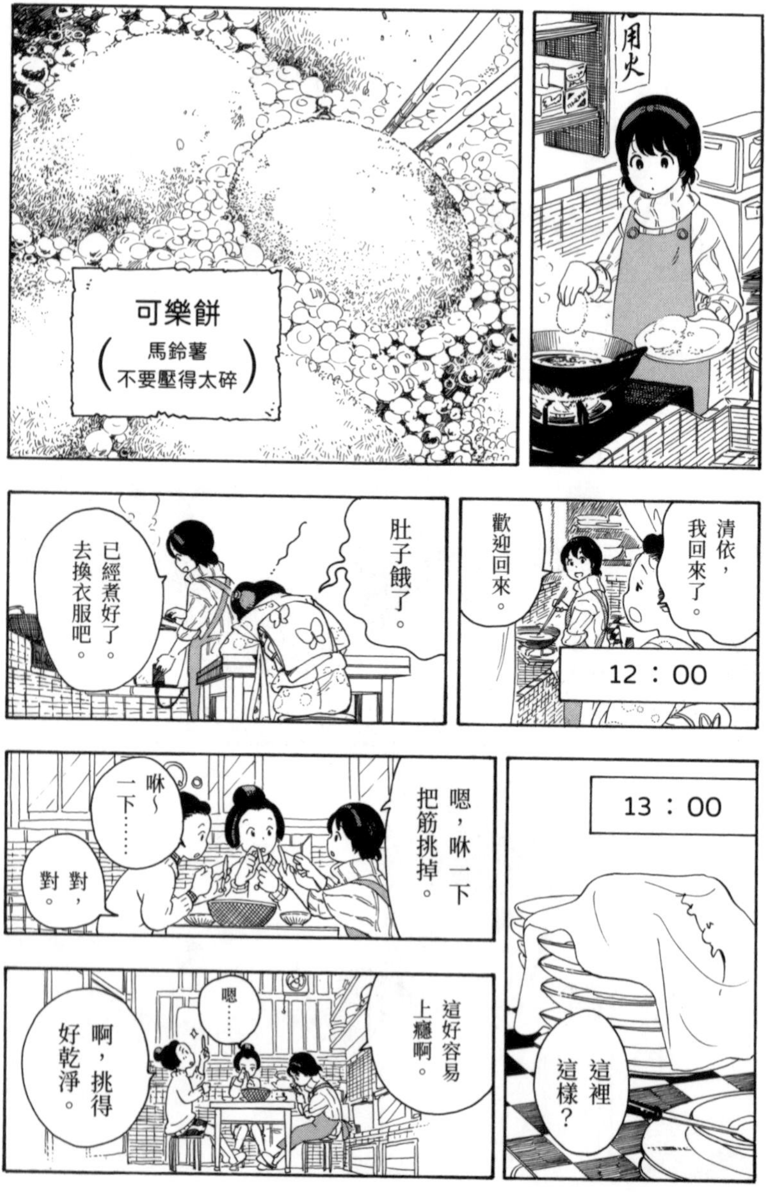
用火
可樂餅
（馬鈴薯不要壓得太碎）
清依，我回來了。
歡迎回來。
12：00
肚子餓了。
已經煮好了。去換衣服吧。
13：00
這裡這樣？
嗯，咻一下把筋挑掉。
咻～一下……
對，對。
這好容易上癮啊。
嗯……
啊，挑得好乾淨。

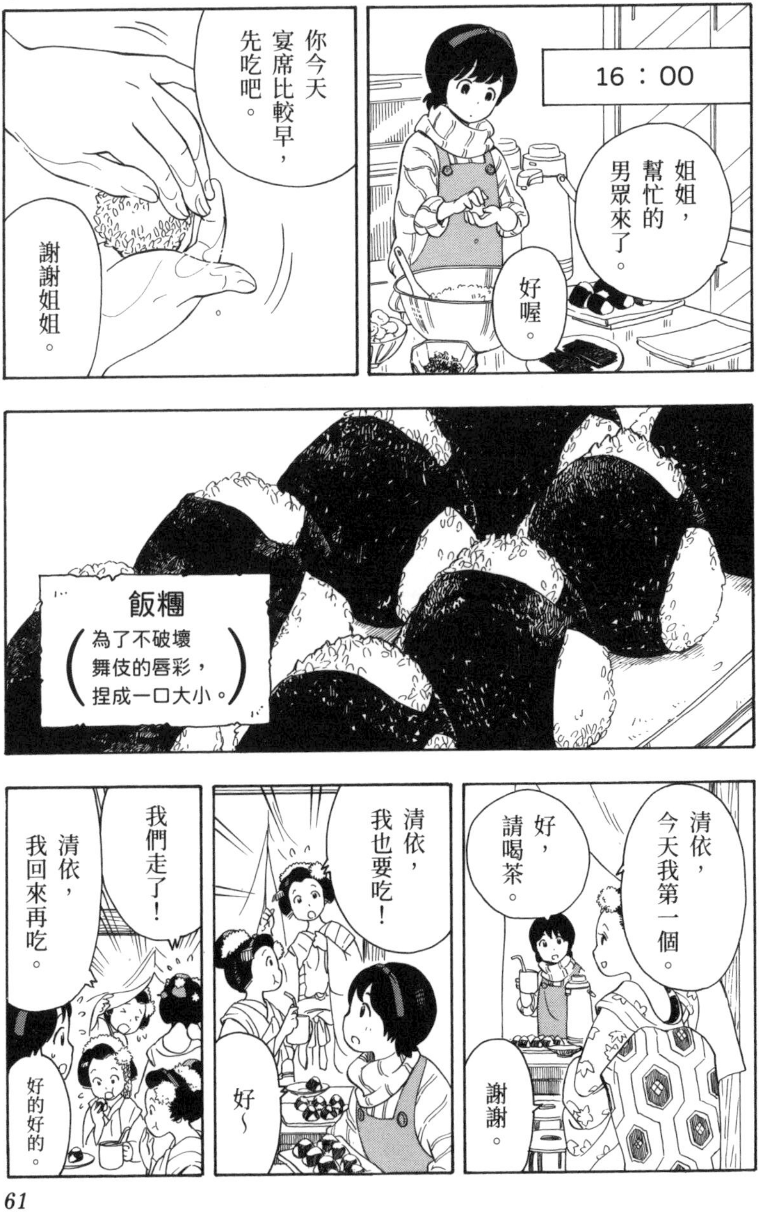
16：00
姐姐，幫忙的男眾來了。
好喔。
你今天宴席比較早，先吃吧。
謝謝姐姐。
飯糰
（為了不破壞舞伎的唇彩，捏成一口大小。）
清依，今天我第一個。
好，請喝茶。
謝謝。
清依，我也要吃！
好～
我們走了！
清依，我回來再吃。
好的好的。

20：00
♪
好了。

21：00
湯
湯
Mart

對了，昨天的麵包已經變硬了呢。
Hey!
OK，OK。
拜拜。
剛才想起什麼……
對了，麵包麵包。
昨天的。

喔喔……
ピュウウウウ
咻咻
好冷好冷。

媽媽，晚安。
嗯。晚安。
22：00
晚安。

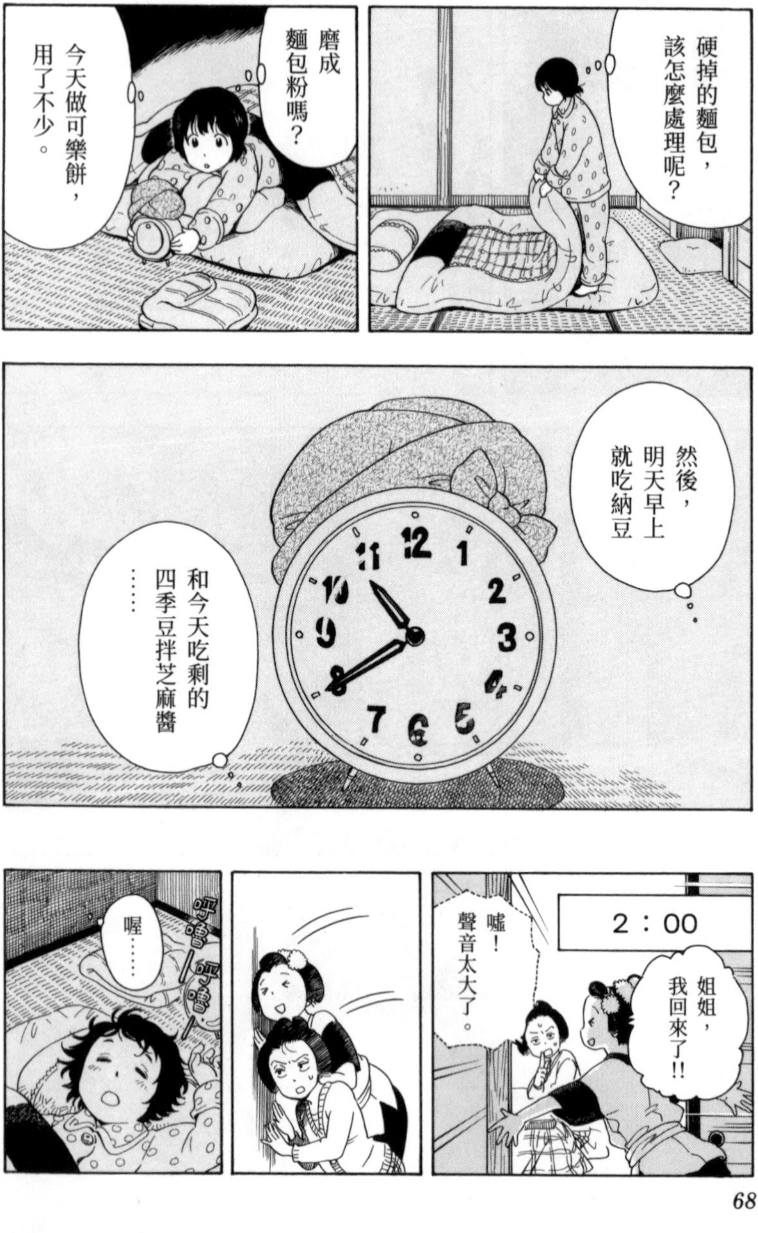
硬掉的麵包，
該怎麼處理呢？
磨成
麵包粉嗎？
今天做可樂餅，
用了不少。
然後，
明天早上
就吃納豆
和今天吃剩的
四季豆拌芝麻醬
……
2：00
姐姐，
我回來了!!
噓！
聲音太大了。
呼嚕—呼嚕—
喔……

小山家的私房料理 其3

飯糰

不知為何，

三角形會讓人平心靜氣。

馬鈴薯可樂餅

不知為何，橢圓形

會讓人平心靜氣。

舞伎家的料理人

(Maikosan chi no Makanai san)

第4話

清依去京都（前篇）

呼——
搓
熱水袋好溫暖……
搓
好，開工！
嘶嘶嘶嘶
啪嗒
啪嗒
啪嗒
啪嗒
啪嗒
啪嗒
搓
搓

一年前，青森──
阿嬤，我幫妳。
清依。
妳今晚要去京都吧？行李收好了嗎？
收好了。
小菫跟健太說擔心，晚點要過來幫我看。
這樣啊，那可以放心了。
嗯。
那我晚飯多做一點。
謝謝，我來幫忙！

這樣的話，到那張桌子摘豆芽鬚吧。
好。
喔，
等一下，清依。
來，
把這個放腿上。
熱水袋。
廚房很冷啊。
好暖～

京都是怎樣的地方呢？
沒有青森這麼冷吧。
是吧。
大家住在一起，就像每天都是校外旅行一樣。
好期待！
是吧……
總之，
要照顧好身體啊。

沒問題。
阿嬤教我做了好多菜。
沒事沒事。
我沒問題的，
阿嬤。
是吧……
啊！
不過那裡有做飯的人吧。
……
清依，我們來了。
是小董跟健太。

清依，看過畢業紀念冊了嗎？
看，這裡！
おもいで
舞伎來公民館時的照片。
真的!!
那個時候，我們就決定要當舞伎了。
小菫興奮得睡不著，晚上來我家。
我第二天明明有比賽，還被叫出來。
野球
也有健太大顯身手的照片喔。
吵死了。
健太高中也打棒球嗎？
嗯，所以才去念東高啊。
為了打棒球，考上難考的高中，
健太好厲害！
謝謝……

來，飯做好了。
阿嬤。
啊。
味噌蚌蚌燒
（加在熱騰騰的白飯上吃。）
哇，有帆立貝！好棒啊。
什麼啊，以前都只有味噌和雞蛋。
因為小堇跟清依明天要出發了啊。
哇，我開動了！

東京
那麼，
我們走了。
とうてつ
駅そば・売
嗯嗯。
哎呀，
忘記了！
清依的行李！忘記檢查了！
がぱっ
啪啦
別擔心，都收好了。
這個不用帶！
讓阿嬤帶回去。
咦？
？

熱水袋？
高速巴士站
小菫，這個絕對要帶。
我們走了。

小山家的私房料理 其4

味噌蚌蚌燒

在帆立貝的蚌殼上
放切好的帆立貝和水
直接在火上烤。

味噌化開，
加入蔥花和蛋
就完成了。

放在白飯上，開吃。

舞伎家的料理人

(Maikosan chi no Makanai san)

第5話 ✿ 清依去京都（後篇）

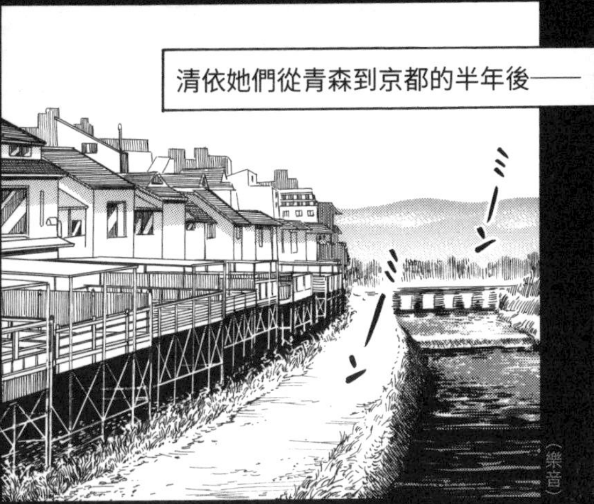
清依她們從青森到京都的半年後——
ミーン
ミーン
（樂音）

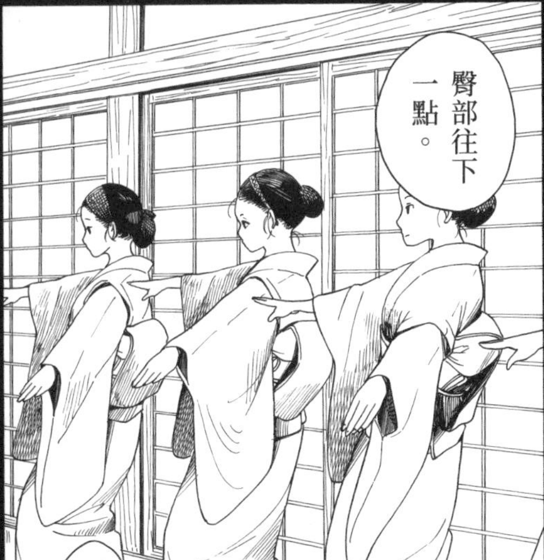
臀部往下一點。
就是這樣。

那邊，妳！
在發什麼呆?!
嗯？
又是妳啊，
每次都這樣。
對不起。
算了！今天妳也坐著看吧。
是。

再來一遍。
從剛剛那裡開始。
好。
哇……
真好看。
清依……
為什麼
在笑啊。
好
好看

廚房的阿姨！
是清依啊。
練習結束了嗎？
嗯，我只是坐著看而已。
今天也是？
阿姨，小堇好厲害喔！
她一學就會耶！
而且非常好看！
喔～

再練習一下就更厲害了吧？
這樣的話，小菫一定會成為很棒的舞伎的！
妳也是啊，妳們同期啊。
啊，對喔。
這也能忘記。
哎呀，不好意思。
糟糕！現在幾點?!
嗯？十一點半。
今天要去整骨院。
只預約到十一點的。
腰還痛嗎？
最近狀況比較不好。

那我幫妳
做飯吧。
真的?!
嗯，
我在青森
常常做。
那我就
先走啦。
心用火

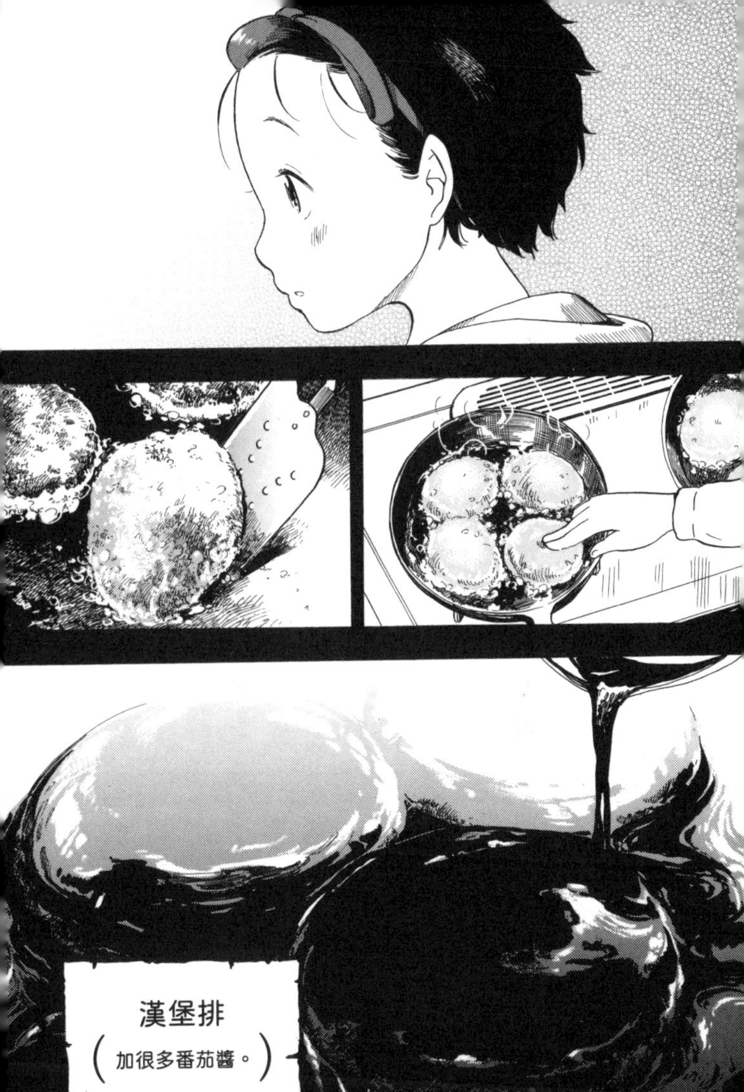
漢堡排
（加很多番茄醬。）

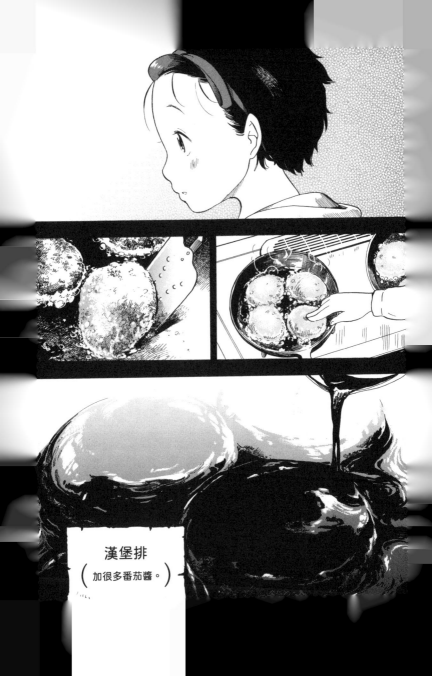

好了。
ガタ
ガタン!!
哐噹哐噹!!
阿姨!!
腰好痛……

市
喏，廚房阿姨，還沒出院嗎？
人家光看到便當，就覺得沒胃口了。
我也是。
我也是……
阿姨好像要辭職了。
咦?!
清依。
來一下好嗎？

「休業」？
就是說……
意思就是不用再去練習了。
妳不適合當舞伎。
回青森去吧。
騙人，清依要回青森？
小堇。

約好要一起當舞伎的……
對不起。
但是小菫一定會成為最棒的舞伎!!
沒問題的!!
熱水袋。
結果沒用上……

小菫。
是不是有什麼味道？
嗅嗅
咦？
哇，姐姐！怎麼了？
啊～
沒去買晚餐的便當……
想自己做點什麼……
咕嘟咕嘟
算了，我不吃了。
最近都沒有食慾……

姐姐，其實我也是……
對吧？大家都一樣。
広告の品
清依？
我……

可以做飯嗎？
咕
啊，醒了。
清依。
肚子餓了。
心用火
對不起，對不起！
馬上就做飯。

小山家的私房料理 其5

漢堡排需要

番茄醬
黑醋
砂糖
奶油
重口醬汁
我喜歡加在一起。

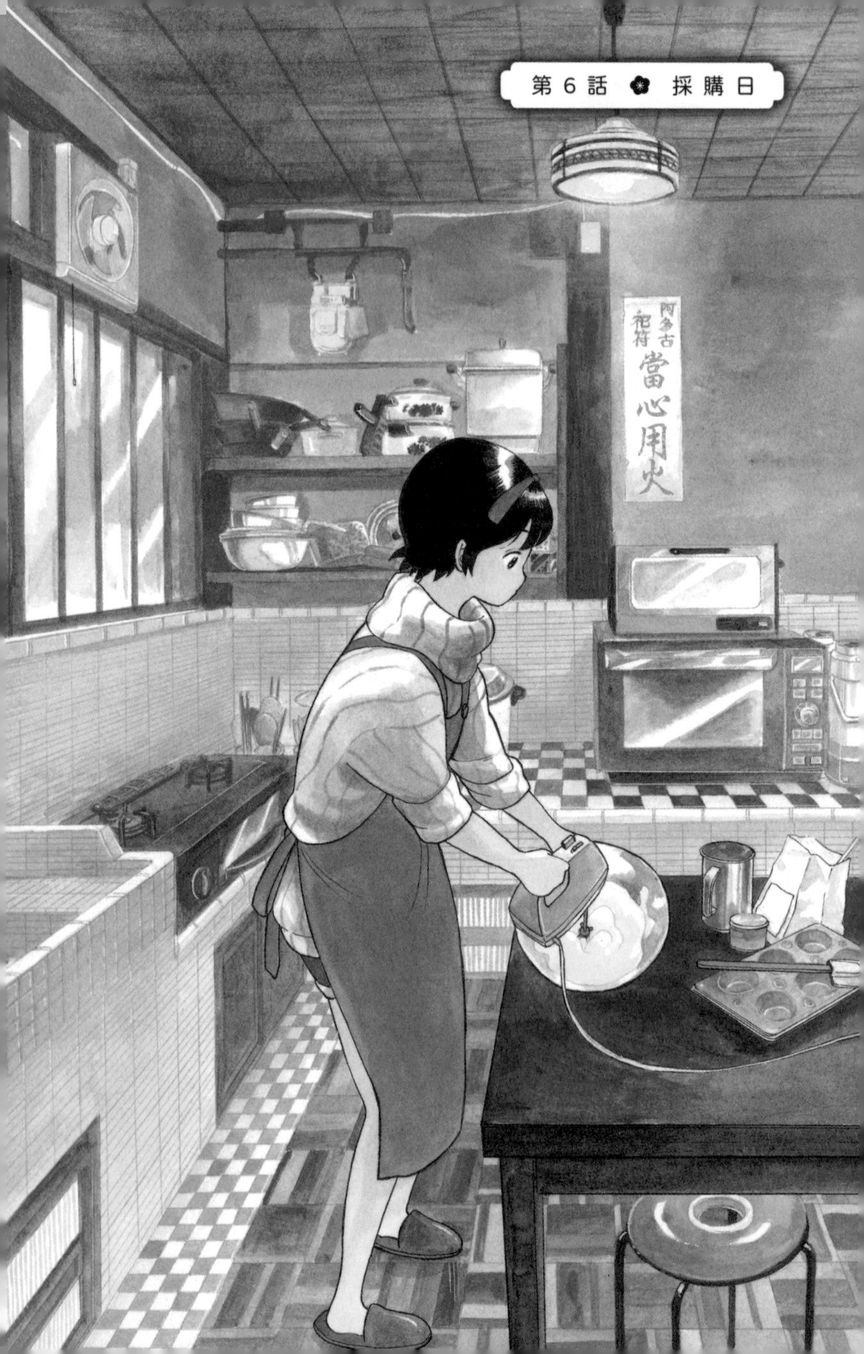
第6話 ✿ 採購日
阿多古祀符
當心用火

牛奶和
雞蛋。

背包
牛奶
好喝牛奶
好喝牛奶
雞蛋
包袱巾
喀嗒喀嗒喀嗒喀嗒喀嗒喀嗒喀嗒喀嗒
叮
好，提得回去。
山二パン総本店
還有什麼要買的東西嗎～
！

大特價
促銷品
蘿蔔
OO
大特價
促銷品
98
超便宜！
沙沙沙沙
呼……
等等……
喀喳喀喳喀喳喀喳喀喳喀喳喀喳喀喳
好喝牛奶
好喝
雞蛋
雞蛋
雞蛋
雞蛋
叮

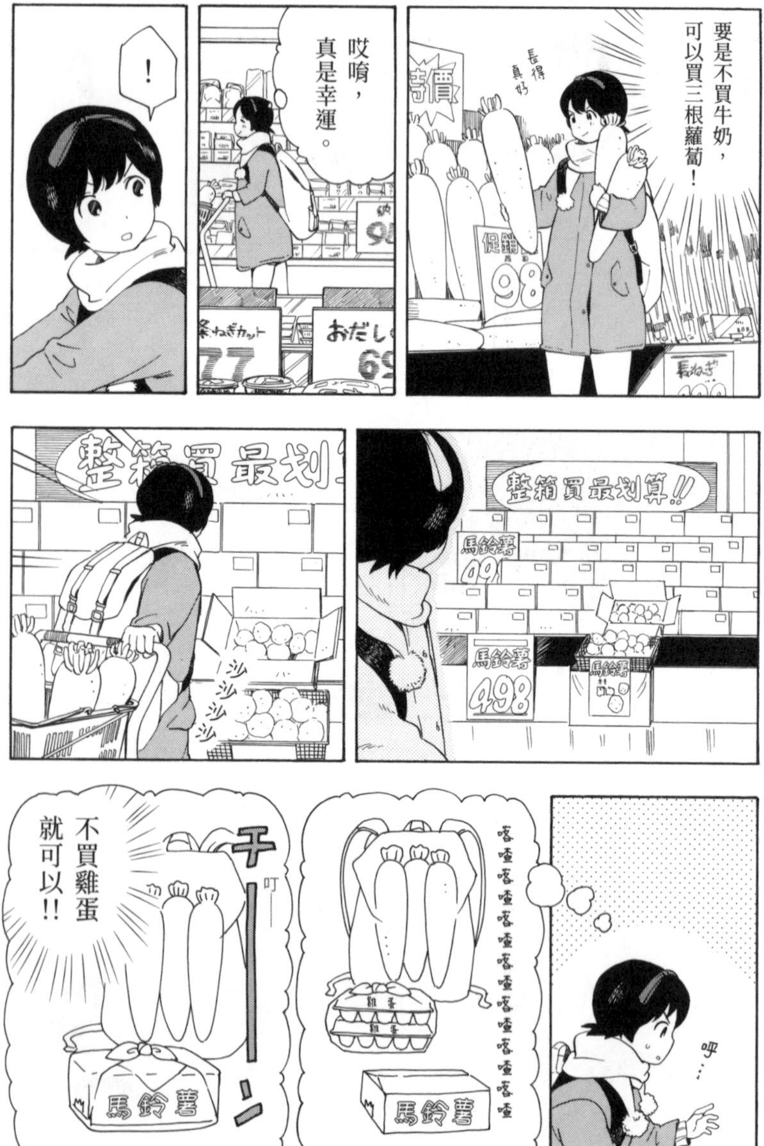
要是不買牛奶，
可以買三根蘿蔔！
長得真好
促銷價
98
哎唷，
真是幸運。
！
整箱買最划算!!
馬鈴薯
498
沙沙沙沙
呼…
喀嗒喀嗒喀嗒喀嗒喀嗒喀嗒喀嗒
雞蛋
雞蛋
馬鈴薯
叮—
不買雞蛋
就可以!!
馬鈴薯

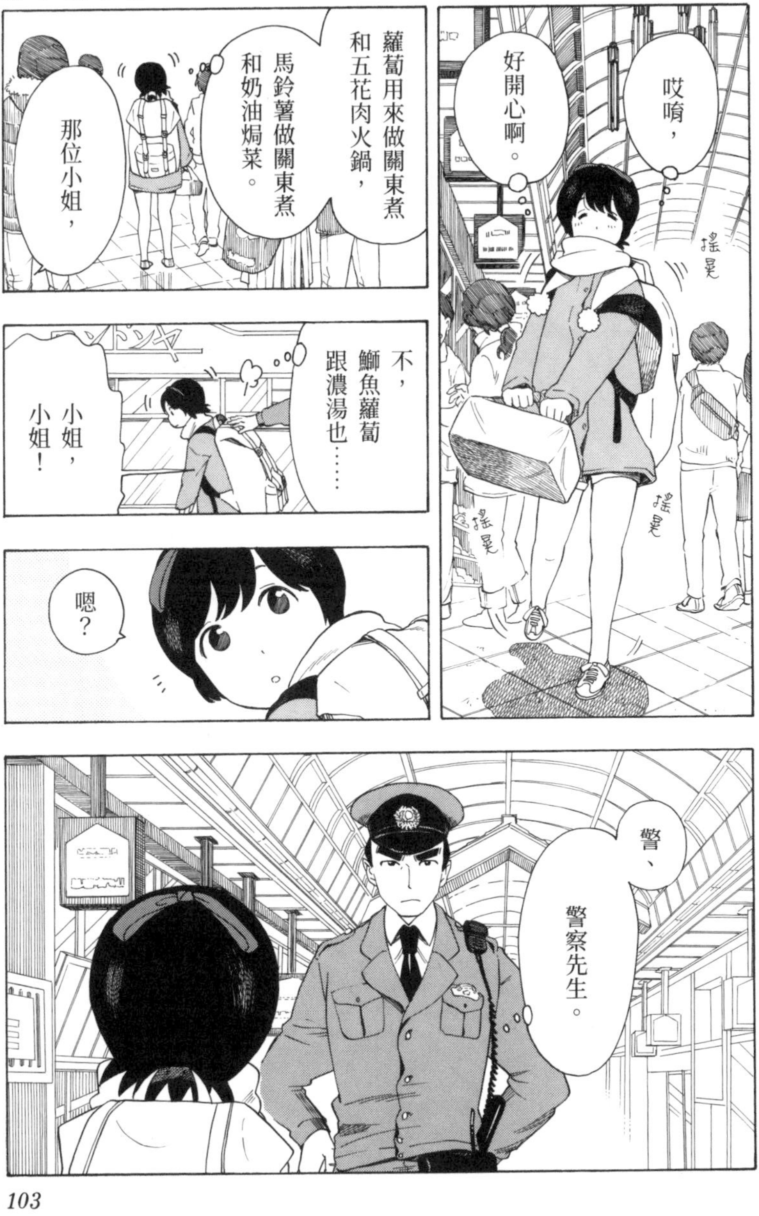
哎唷，
好開心啊。
搖晃
搖晃
搖晃
蘿蔔用來做關東煮和五花肉火鍋，
馬鈴薯做關東煮和奶油焗菜。
那位小姐，
不，鰤魚蘿蔔跟濃湯也……
小姐，小姐！
嗯？
警、警察先生。

未成年人在非假日的大白天，
拿著這麼多東西，是在做什麼？
嗯？什麼……
？
搖晃
搖晃
小姐，妳幾歲？
瞪
十六歲。
不是京都本地人吧，從哪裡來的？
瞪～
青森。
……
瞪～
？
背包裡是什麼？
咦？

是不是裝了不能跟警察說的東西？
沒有，都是不值得一提的東西……
是不是裝了離家出走的家當？
咦?!
沒有沒有！
裡面裝了蘿蔔。
是蘿蔔，
三根。
什麼？為什麼把蘿蔔裝在背包裡？
問為什麼我也……
因為很便宜……
瞪～
那個包袱呢？
這個是馬鈴薯。
什麼?!包袱巾不是用來包馬鈴薯的吧？
果然裝了離家出走的家當吧？
是當環保袋用的，環保袋。

對不起。
我以為一定是女孩子離家出走。
哎唷，真是麻煩您了。不好意思。
不是，沒送她回來，
我都不相信她真的是舞伎家的料理人。
說的也是，清依就是普通高中生的年紀。
但是……

她能夠替很多人準備一天三餐。
雖然只有十六歲，但跟舞伎一樣是專業人士呢。
這樣啊……
是我誤會了。
下次看見清依小姐，我會把她當成專業廚師的。
不會再當成離家少女。
非常感謝。麻煩您了。
清依，警察先生要回去了。
來~了！
警察先生，這個！

當點心吃吧。
瑪芬
（鬆軟又有份量，放了巧克力片。）
這個，是清依小姐做的？
是的。今天早上用剩下來的一點材料，牛奶跟雞蛋都用完了……
因為用完了，我才出門買東西。
買牛奶跟雞蛋……
妳真是……
我送妳去超市吧。

小山家的私房料理 其6

巧克力瑪芬

奶油加進精煉砂糖
攪拌到變成
純白為止。

蛋汁一次
加一點。

麵粉
＋
發粉

加進
牛奶＋優酪乳
混合均勻。

巧克力片
隨喜好添加。

倒進模型，放入烤箱。

露在外面的巧克力會被烤化，
倒進模型裡之後，建議再加上巧克力片。
流出來的巧克力也很好吃，所以平衡就是次要的了。

舞伎家的料理人

(Maikosan chi no Makanai san)

第7話 ✿ 家裡的咖哩

清依，
這個星期三，妳可以休假。
我要帶屋形的孩子們，去姐姐那裡看舞蹈，
會在外面吃飯。
妳也出去走走吧。
會給零用錢
好的。
咖哩——

吃咖哩吧！
謝謝您。
？
慌慌
張張
清依，怎麼啦？有什麼好事嗎？
嗯?!
興奮
興奮
咖哩！
嘻嘻嘻嘻……
咖哩！
？
捏捏
扭扭
咖哩！
清依還沒起床嗎？
滾來
滾去
媽媽，借用一下電話。
嗯。
清依看起來憨憨的，但也是個青春期少女了……
是不是有男朋友啊。

星期三
市
我出門了。
Market
ピンポー
叮咚
您好！

阿姨。
歡迎妳來，清依。
進來進來，我先生去工作了，不在家。
打擾了。
廚房在這裡。
隨便妳用。
謝謝。
妳也是個怪人啊。

難得休假，可以不用做菜的。
妳打電話來，我還以為有什麼事呢。
那個，阿姨，
什麼事？清依。
可以讓我去阿姨家煮咖哩嗎？
啥？
不好意思。
因為我太想吃咖哩了……
而且要自己煮的咖哩。

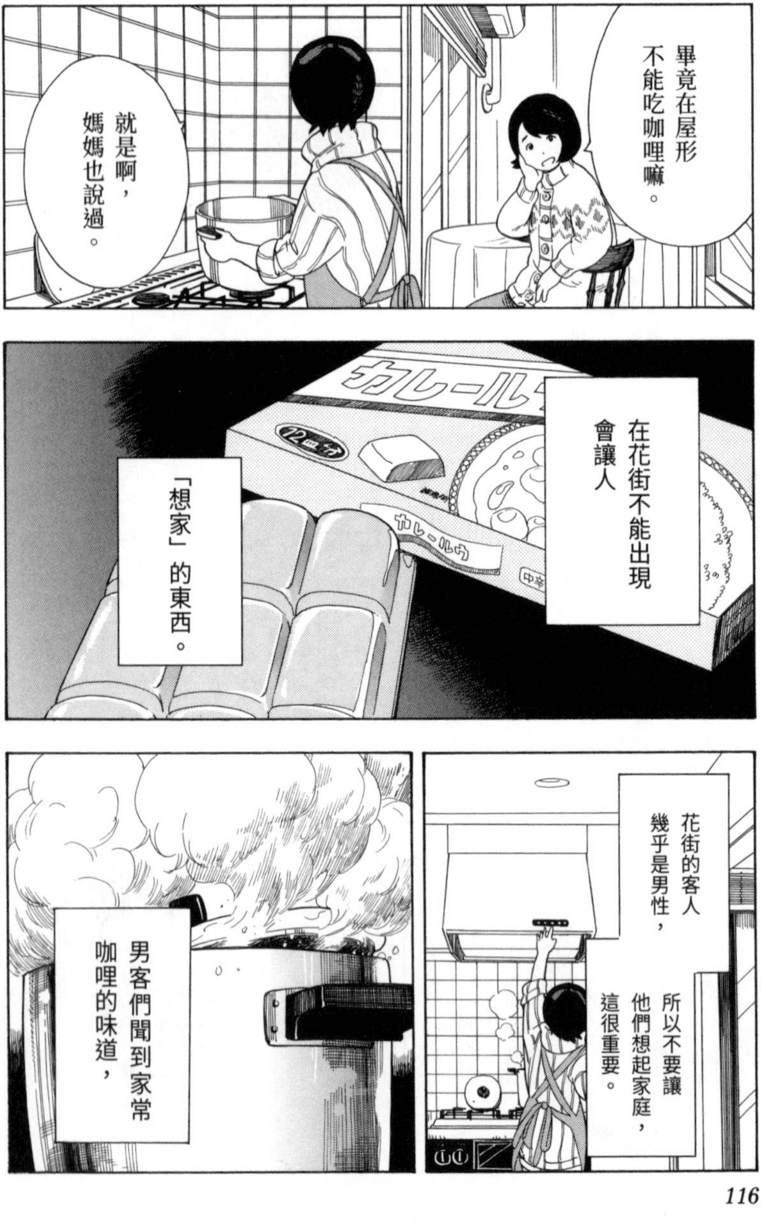
畢竟在屋形
不能吃咖哩嘛。
就是啊，
媽媽也說過。
在花街不能出現
會讓人
「想家」的東西。
カレールウ
花街的客人
幾乎是男性，
所以不要讓
他們想起家庭，
這很重要。
男客們聞到家常
咖哩的味道，

可能會想起該回家了，所以在花街是禁止的。
男人聞到咖哩的味道就會想回家，是真的嗎？
阿姨的先生也是這樣嗎？
誰知道呢。我先生也喜歡咖哩就是了。
喔，果然。
因為咖哩很好吃啊。
雖然他並沒有吃了咖哩就想回家啦……

咖哩飯
（馬鈴薯、紅蘿蔔、洋蔥、肉等等，很簡單。配菜是醃蘿蔔。）
要是泡個咖啡就好了。現在泡嗎？
啊?!
待會兒我來泡吧……

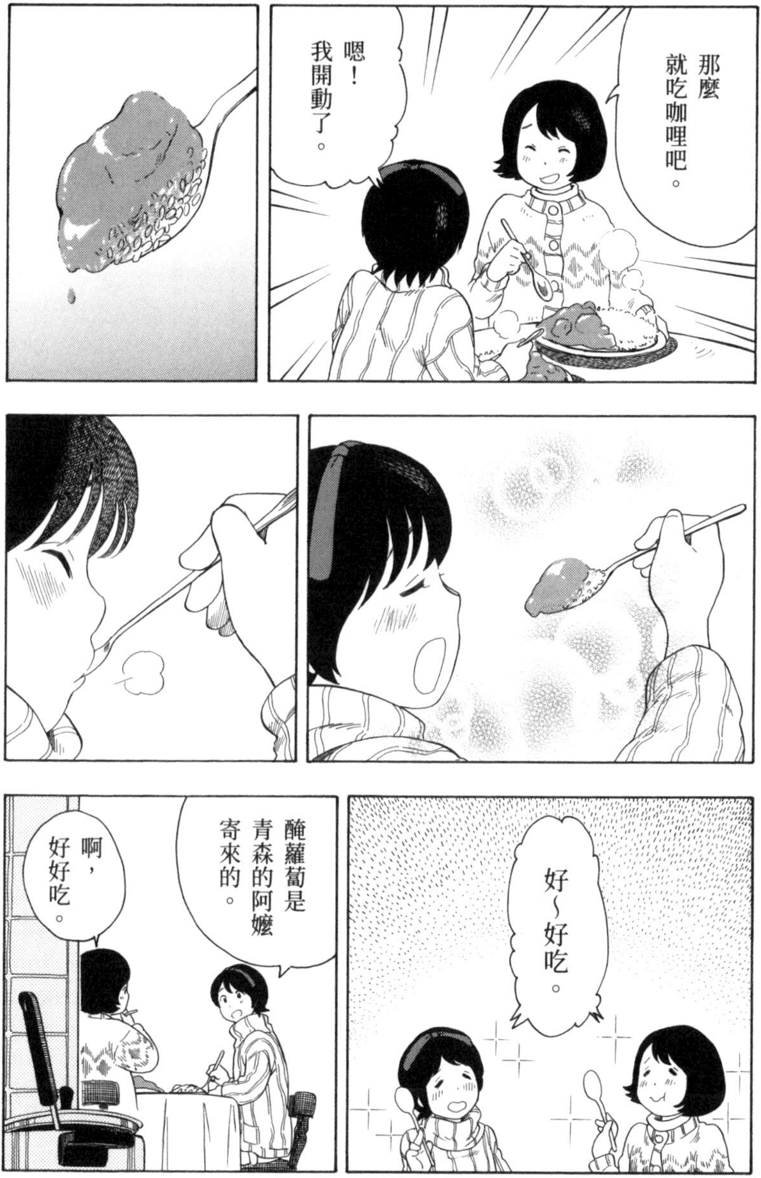
那麼就吃咖哩吧。
嗯！我開動了。
好～好吃。
醃蘿蔔是青森的阿嬤寄來的。
啊，好好吃。

媽媽。
清依啊，怎麼啦？
謝謝您今天讓我休假。
啊，玩得開心嗎？
是的，非常開心。
啪噠
果然是有了喜歡的人嗎？

小山家的私房料理 其7

咖哩

不管是豬肉、雞肉、牛肉還是烏賊
是甜還是辣，
反正都很好吃。

我會做一大鍋，能連吃三天。
吃完的時候，會覺得有點寂寞。

結果馬上又煮了一鍋。咖哩有魔性啊。

最後通常
煮烏龍麵。

舞伎家的料理人

Maikosan chi no Makanai san

第8話 ✿ 下雪的早上

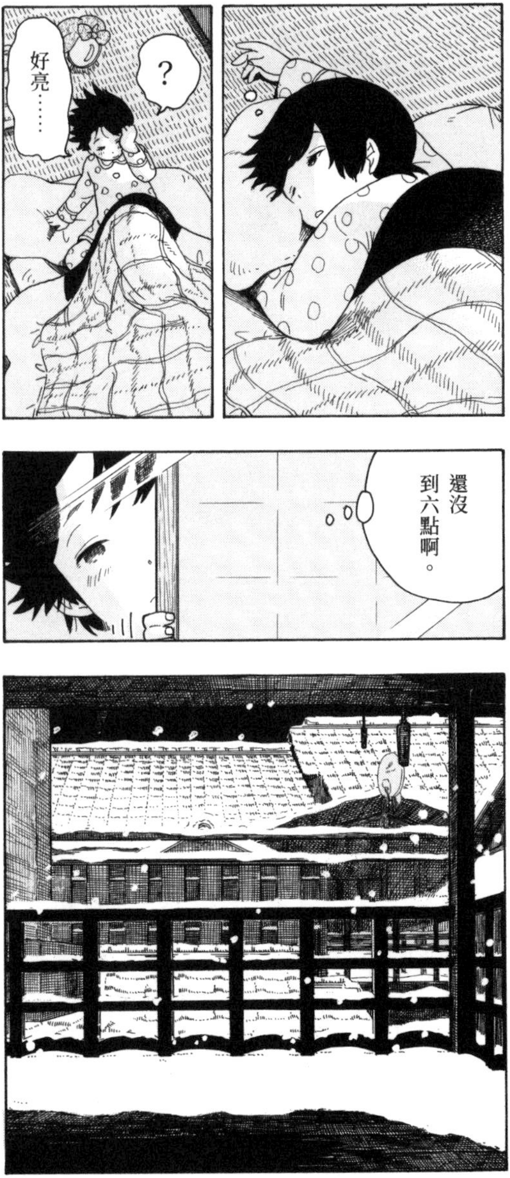

下雪了……
京都也會下這麼大的雪啊。
……
下雪的早上就想吃那個。

清依，早安。
快點剷雪去上學！
三個人一起，這樣很快就解決了。

小菫、健太，謝謝。
真是，為什麼剷雪車不來清依家前面啊。
好，看我一口氣剷完!!
嘿喝
せっせ
せっせ
啊！妳呀。
這裡還有新雪啊，又不是速度快就好了。

嘿嘿～健太，輸給我不甘心嗎？
不是輸贏的問題。
我只是想確實地把事情做好而已。
把雪切成四方形，
唰
從最底下，
連根鏟起!!
咻
健太那邊真的非常乾淨。
但是很費力氣，所以撐不了多久……
清依呢……

沙
砰
慢慢慢慢
慢慢慢慢慢慢
……
我得多加把勁……
我要

咔
喝——!!
已經不行了……
呼—哈—
呼—哈—
呼—哈—
我也……
呼—哈—
喔耶！還是我剷的雪比較多。
但我剷得比較乾淨。
呼哈
呼哈
我贏了！
累趴——
我贏了！
沙—
砰
沙
砰
沙—
砰

慢慢
慢慢
慢慢
慢慢
慢慢
慢慢
慢慢
慢慢
沙—砰
沙—砰
我把暖氣開大了。
嗯，謝謝。

清依，把麵團拿來。
好。
來了，阿嬤。
嗯。
麵疙瘩湯
（雞肉高湯和根莖類蔬菜一起煮，放入揉好的麵疙瘩。）
謝謝你們。年紀大了，雪真的劏不動。

嗯——
嚼嚼嚼嚼
嚼嚼嚼嚼嚼嚼
哈~果然剷完雪之後就要吃這個啊。
就是!
那麼,
去剷雪吧。

小山家的私房料理 其8

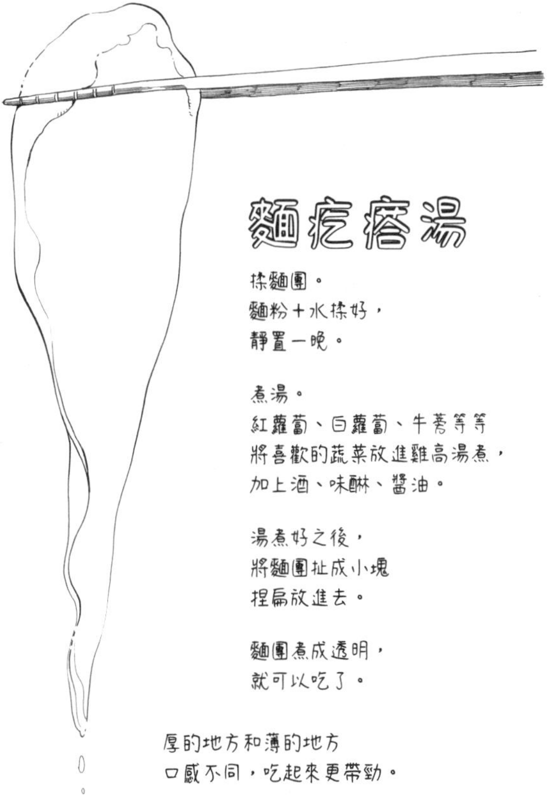

麵疙瘩湯

揉麵團。
麵粉＋水揉好，
靜置一晚。

煮湯。
紅蘿蔔、白蘿蔔、牛蒡等等
將喜歡的蔬菜放進雞高湯煮，
加上酒、味醂、醬油。

湯煮好之後，
將麵團扯成小塊
捏扁放進去。

麵團煮成透明，
就可以吃了。

厚的地方和薄的地方
口感不同，吃起來更帶勁。

好了。
嗯嗯——

距離晚餐的備料還有一小時。
有一小時的自由時間。
外面在下雨，不方便散步，
睡午覺的話，可能起不來。
嗯……

ONO
COFFEE

嘶—
哈—
喝
好喝——

沒有人
像小堇那樣
對自己愈來愈嚴格的。
承載著
兩個少女的夢想——
乾燒蝦仁
焗烤

和妳同期的小菫，
那個孩子太厲害了。
說不定會成為百年一遇的舞伎呢。
小菫綻放舞技，清依的餐桌豐盛……
咕嘟
咕嘟
下集預告
炸得脆脆的。
炸花枝餅
青森的下飯菜。隨個人口味，蘸醬汁、番茄醬、醬油等等。
甜酒
白米跟米麴一起發酵做的。像砂糖一樣甜。

舞伎家的料理人

Maikosan chi no Makanai san

YY0401C

舞伎家的料理人1

舞妓さんちのまかないさん1

作者

小山愛子

漫畫家，出生於青森縣，二〇〇一年正式在漫畫界出道。二〇一六年，開啟《舞伎家的料理人》的連載，該作於二〇二〇年榮獲第65屆「小學館漫畫獎」。代表作品包括《綺蘿莉》、《勤勞的漸強音》（勤労クレシェンド）等。

譯者

丁世佳

以文字轉換糊口已逾半生，除《深夜食堂》、《舞伎家的料理人》外，尚有英日文譯作散見各大書店。近日重操舊業，再度邁入有聲領域，敬請期待新作。

原書設計　德重甫+Bay Bridge Studio
企畫協力　三枝桃子
標準字設計　張添威
版面構成　張添威
內頁排版　呂昀禾
行銷企劃　黃蕾玲、陳彥廷
主　編　詹修蘋
責任編輯　李家騏
版權負責　李家騏
副總編輯　梁心愉

初版一刷　二〇二四年四月一日
定價　新臺幣二〇〇元

ThinKingDom 新経典文化
發行人　葉美瑤
出版　新經典圖文傳播有限公司
地址　臺北市中正區重慶南路一段五七號一一樓之四
電話　02-2331-1830　傳真　02-2331-1831
讀者服務信箱　thinkingdomtw@gmail.com

總經銷　高寶書版集團
地址　臺北市內湖區洲子街八八號三樓
電話　02-2799-2788　傳真　02-2799-0909
海外總經銷　時報文化出版企業股份有限公司
地址　桃園市龜山區萬壽路二段三五一號
電話　02-2306-6842　傳真　02-2304-9301

舞伎家的料理人 / 小山愛子作；丁世佳譯. --
初版. -- 臺北市：新經典圖文傳播有限公司,
2024.4.1-
144面；12.7 X 18公分
ISBN 978-626-7421-19-2（第1冊：平裝）
EISBN 978-626-7421-16-1
EAN 978-002-0240-53-2